LECTURAS SIMPLIFICADAS
LIBROS DE ACTIVIDAD

Hemos creado esta colección con el objetivo de ayudar al estudiante en su aprendizaje del español, con la intención de potenciar su estudio de la lengua, y con el propósito de acercarlo a los grandes autores. Esto es posible gracias a la sencillez del vocabulario y de la estructura de estos libros.
En ellos encontrará una serie de notas que le facilitarán la comprensión del texto, y le servirán para ampliar su vocabulario. Además, a cada página de lectura le corresponde una página de ejercicios, directamente relacionados con la parte leída. De este modo, el alumno podrá poner en práctica los conocimientos que ya poseía y los que ha adquirido.
"Hablando se entiende la gente", dice el refrán. Leyendo se aprende más fácil y rápidamente. En vuestras manos ponemos este instrumento, con la esperanza de que motive al estudiante y complemente la labor del profesor.

adaptación, ejercicios y notas
Marta Arciniega

asesoramiento lingüístico
Susana Mendo

DON QUIJOTE DE LA MANCHA

Miguel de Cervantes

Don Quijote es, sin duda alguna, uno de los personajes literarios más conocidos y más admirados del mundo. De él y de su autor, **Miguel de Cervantes Saavedra** (llamado el príncipe de la lengua española), se ha escrito mucho y en muchos idiomas.
No añado nada a lo ya dicho. Que sea el lector el que se acerque a esta fantasía y la juzgue, si lo considera oportuno, por sí mismo.

La Spiga languages

DON QUIJOTE DE LA MANCHA

El hidalgo Don Quijote

En un pueblo de la Mancha[1], cuyo nombre no recuerdo, vivía un hidalgo[2] en compañía de un ama[3], de unos cuarenta años, y una sobrina que no llegaba a los veinte.

Era un hombre honesto, alto, muy delgado, de casi cincuenta años. Le gustaba madrugar[4] y salir a cazar.

Además de la caza, le gustaba leer libros de caballería y a ellos dedicaba todos sus ratos libres, que eran muchos. Se aficionó hasta tal punto a la lectura de las aventuras de los caballeros andantes[5], que abandonó por completo la administración de la hacienda[6] y las salidas de caza.

Su pasión por los libros de caballería lo llevó a vender parcelas[7] de tierra de cultivo, a fin de obtener dinero para comprar todos los libros que podía encontrar.

Le maravillaban las hazañas[8] que aquellas páginas relataban, y se esforzaba por comprender hasta el más mínimo detalle de aquella prosa.

Pasaba días enteros, desde el amanecer hasta el anochecer, y noches en vela enfrascado en su lectura.

De vez en cuando, hablaba de todo lo que leía con el cura del pueblo, que era hombre instruído, o con el barbero. Con ellos discutía sobre cuál era el mejor y el más valeroso caballero.

Pero para el hidalgo, los libros de caballería y las aventuras que vivían sus caballeros andantes, se convirtieron en una obsesión y le hicieron perder el juicio. Se le llenó la cabeza de todo aquello que contaban:

1. **Los siguientes verbos diptongan. Conjúgalos en presente de indicativo.**

recordar	*esforzar*	*convertir*
....	....	....
....	....	....
....	....	....
....	....	....
....	....	....
....	....	....

2. **Haz una descripción lo más detalla posible de una persona que tú conozcas.**

físico: ....

....

....

carácter: ....

....

....

aficiones: ....

....

....

---

1. **la Mancha**: *región del centro-este de España.*
2. **hidalgo**: *antiguamente, persona que pertenecía a una clase noble y distinguida.*
3. **ama**: *criada, sierva principal de una casa.*
4. **madrugar**: *levantarse muy temprano.*
5. **caballero andante**: *los que en los libros de caballería van en busca de aventuras, aventurero.*
6. **hacienda**: *finca, propiedad agrícola.*
7. **parcela**: *terreno, trozo de tierra.*
8. **hazaña**: *acción típica de un héroe.*

encantamientos, batallas, desafíos, heridas, amores; y tan convencido estaba de que esas cosas existían, que para él no había otra historia más cierta en el mundo.

Preparativos

La desenfrenada fantasía acabó en locura, y entonces se dijo a sí mismo que para aumentar su honor y servir a su república, debía hacerse caballero andante e[1] ir en busca de aventuras.

Antes de ponerse en marcha, se dedicó a preparar todo lo que necesitaba un caballero.

Lo primero que hizo fue limpiar unas armas y una armadura que habían sido de sus bisabuelos[2]. Después comprobó que no tenía yelmo[3], así que se construyó uno con unos cartones. Pero como vio que no resistía los golpes, lo reforzó con unas barras de hierro.

Más tarde pasó a su rocín[4]: un caballo bastante mediocre y demasiado gordo. Sin embargo[5] a él le parecía que ni los caballos de los más famosos caballeros podían igualarlo. Tenía que pensar cómo llamarlo a partir de entonces. El había decidido llamarse Don Quijote. Su caballo no podía ser menos. Debía darle un nombre. Tardó cuatro días en encontrarlo hasta que al final optó por llamarlo Rocinante.

Para cumplir todos los requisitos, le faltaba solamente una dama de quien enamorarse, a quien invocar protección antes de la batalla y a quien dedicar sus victorias. Entonces se acordó de una muchacha de su pueblo de la que un tiempo estuvo enamorado. Le dio el título de "señora de sus pensamientos" y el nombre de Dulcinea del Toboso[6].

Todo estaba listo[7]. No quiso esperar más tiempo. Salió una mañana muy temprano de la hacienda

3. **Pon los verbos entre paréntesis en presente.**

Lo primero que *(hacer)* .... Don Quijote *(ser)* .... limpiar unas armas y una armadura que eran de su bisabuelo.

Después *(comprobar)* .... que no *(tener)* .... yelmo, así que se *(construir)* .... uno con unos cartones.

Pero como *(ver)* .... que no *(resistir)* .... los golpes, lo *(reforzar)* .... con unas barras de hierro.

4. ***Tener que con un infinitivo* indica una obligación. Utiliza esta forma en el tiempo correcto para completar las siguientes frases.**

a) Don Quijote se dijo que para servir a su República ....
....

b) Las armas son muy viejas, así que Don Quijote ....
....

c) Como él había cambiado de nombre, para su caballo ......
....

d) Para cumplir todos los requisitos necesarios para ser un buen caballero ....

---

1. **e**: *la conjunción* y *se transforma en* e *delante de una palabra que empieza por* i *o por* hi.
2. **bisabuelo**: *padre de mi abuelo.*
3. **yelmo**: *casco, parte superior de la armadura.*
4. **rocín**: *caballo poco apreciado que se dedica al trabajo.*
5. **sin embargo**: *pero.*
6. **Toboso**: *pueblo de la provincia de Toledo.*
7. **estar listo**: *estar preparado.*

montando a Rocinante. No se despidió de nadie, nadie lo vio marchar.

De este modo emprendió[1] su camino: cabalgando sin rumbo fijo e imaginándose protagonista de las aventuras que había conocido a través de los libros. De repente[2] se dio cuenta de que no había sido nombrado caballero. Se alarmó y empezó a dudar: la ley de la caballería le impedía luchar contra un caballero si no lo era él también, o no había realizado alguna hazaña notable[3]. Pero la locura pudo más que la razón y se tranquilizó pensando que podía nombrarlo caballero algún pasante, como ya habían hecho muchos otros antes que él.

Siguió[4] su camino. Pasó todo el día montado en su caballo sin encontrar a nadie.

En la posada

Llegó la noche y con ella el hambre y el cansancio. Don Quijote miró a su alrededor buscando algún castillo, o algunos pastores con los que reposar sus cansados huesos. No muy lejos del camino vio una posada[5] y hacia ella se dirigió a toda prisa[6].

Como ya he dicho, la locura de Don Quijote era más fuerte que la razón, y mientras se iba acercando a la posada, su fantasía lo convenció de que era una fortaleza.

A la puerta del imaginario castillo había dos muchachas que al verlo montado a caballo y armado, se asustaron y llamaron al posadero[7].

Don Quijote levantó la visera del yelmo y les habló intentando tranquilizarlas. Les explicó que no tenían por qué asustarse, que él era un caballero y no podía hacerles daño, sino todo lo contrario.

5. **Conjuga los verbos irregulares *despedir* y *seguir* en presente y pretérito indefinido de indicativo.**

presente	*pret. indef.*	*presente*	*pret. indef.*
....	....	....	....
....	....	....	....
....	....	....	....
....	....	....	....
....	....	....	....
....	....	....	....

6. **Da un sustantivo con su correspondiente artículo y un adjetivo, si es posible, de los siguientes verbos.**

VERBO	*SUSTANTIVO*	*ADJETIVO*
despedir	....	....
marchar	....	....
conocer	....	....
alarmar	....	....
dudar	....	....
llegar	....	....
cansar	....	....
convencer	....	....
pensar	....	....

---

1. **emprender**: *empezar, iniciar, comenzar.*
2. **de repente**: *improvisamente.*
3. **notable**: *considerable, importante.*
4. **seguir** (irregular): *continuar.*
5. **posada**: *hostería, hostal donde reposan y comen los viajeros.*
6. **a toda prisa**: *rápidamente.*
7. **posadero**: *propietario de una posada.*

Pero no utilizó estas palabras que son de fácil comprensión. Les habló con las palabras leídas en los libros, un lenguaje difícil para la gente de los pueblos.

Las muchachas que, como era lógico, no le entendían y le veían de esa guisa[1], empezaron a reír. Don Quijote estaba comenzando a ofenderse ante la risa de aquellas jóvenes. Pero gracias a Dios, en aquel momento salió el posadero para ver qué pasaba. Era un hombre gordo y, por tanto, pacífico. Dio una ojeada[2] a Don Quijote, lo vio vestido con su extravagante armadura, y el buen sentido le hizo dirigirse a él muy comedidamente[3]:

–Bienvenido sea usted a esta humilde casa caballero, que puede ofrecerle de todo en abundancia menos una cama donde dormir.

–Gracias castellano[4] (porque si aquello era un castillo, el posadero tenía que ser a la fuerza un castellano) –dijo Don Quijote–, todo lo que necesita este cuerpo cansado es un poco de comida y de reposo.

Se bajó con gran dificultad del caballo, pues llevaba todo el día cabalgando, y tendió[5] las riendas al posadero mientras le decía:

–Tenga cuidado con este animal porque es uno de los mejores que se pueden ver por estos lugares.

Aunque al posadero no le pareció un caballo tan bueno como Don Quijote decía, no quiso contradecirlo porque había comprendido que sufría alguna extraña locura.

Mientras lo llevaban a la cuadra[6] y le daban de comer y de beber, Don Quijote, con la ayuda de las muchachas que antes se habían reído de él, se quitó la armadura. Sin embargo, no pudo sacarse el yelmo, que había construido con sus propias manos, porque estaba atado con unas cintas y no quiso cortarlas.

Cuando el posadero volvió de la cuadra, entraron

7. ***Empezar a* y *comenzar a* seguidos de *infinitivo*, sirven para expresar el inicio de una acción. Construye frases respetando los tiempos y las personas que te damos.**

ej.: *nosotros empezamos a estudiar español el año pasado.*

a) Vosotros habéis comenzado a ....

....

b) Ella empezará a ....

....

c) El niño empezó a ....

....

d) Si hoy comienza a ....

....

8. ***Pedir* se utiliza para obtener una cosa; *preguntar* para obtener una respuesta. Haz una lista de cosas que se pueden pedir y de cosas que se pueden preguntar.**

PEDIR	*PREGUNTAR*
....	....
....	....
....	....
....	....
....	....
....	....

---

1. **de esa guisa**: *de esa manera, de ese modo.*
2. **dar una ojeada**: *dar una mirada rápida, no detenida.*
3. **comedidamente**: *cortésmente, prudentemente.*
4. **castellano**: *señor de un castillo.*
5. **tender** (irregular): *alargar, dar.*
6. **cuadra**: *lugar donde se guardan los caballos.*

todos en la posada, provocando una mirada de asombro[1] en el resto de los huéspedes, que tuvieron el buen gusto de no hacer comentarios. La mujer del posadero le colocó una mesa cerca de la ventana ya que era el sitio más fresco, y le sirvió la cena.

Y entonces Don Quijote descubrió que comer y beber con un yelmo en la cabeza era bastante difícil, si no imposible. Las muchachas cuando vieron que solo no conseguía dar un bocado[2], se apiadaron de él y le dieron una mano, o mejor dicho, le dieron de comer con sus propias manos.

La petición de Don Quijote

Cuando hubo terminado de cenar, cogió del brazo al posadero, salió con él de la posada y lo condujo a un lugar apartado, lejos de la vista de los demás. Entonces se puso de rodillas y le dijo:

–Señor castellano, debo pedirle una cosa y no me levantaré de aquí si no me promete que cumplirá lo que le voy a pedir[3].

El posadero lo miraba sorprendido. No comprendía qué podía dar él, que era un hombre humilde y sencillo, a aquel caballero. Pero recordando su locura accedió a su petición.

–Dígame buen hombre, ¿qué puedo hacer por usted?

–Tiene que nombrarme caballero –contestó Don Quijote–, así yo podré ir por el mundo en busca de aventuras.

El posadero intentó protestar, pero pronto se dio cuenta[4] de que era inútil intentar convencerlo de que él no era la persona adecuada. Entonces decidió seguirle la corriente y representar él también su papel[5] en esta obra.

9. **Haz todos los cambios necesarios en las siguientes frases para pasar de la forma de cortesía al tuteo.**

	USTED	*TU*
a)	Debo pedirle un favor.	Debo pedirte un favor.
b)	Me promete que cumplirá...	....
c)	¿Qué puedo hacer por usted?	....
d)	Dígame.	....
e)	Tiene que nombrarme...	....

10. ***Ir a seguido de un infinitivo*** **indica una acción inmediata, próxima o futura. Sustituye la perífrasis con un presente (futuro próximo) o con un futuro (futuro lejano).**

a) Mañana voy a despertarme a las seis.

....

b) Ahora voy a preparar la cena, luego vamos a ver la televisión.

....

c) El año que viene va a empezar la universidad.

....

11. **Ahora sustituye la parte en cursiva con la perífrasis.**

a) *Tiene intención de comprarse* un coche.

....

b) El año que viene *me iré* de vacaciones a Grecia.

....

c) Este libro *lo editarán* dentro de muy poco.

....

d) Hoy *explicamos* la ley de Newton.

....

---

1. **asombro**: *sorpresa, estupor.*
2. **dar un bocado**: *dar un mordisco, comer algo.*
3. **voy a pedir** (perífrasis): *pediré.*
4. **darse cuenta**: *comprender, entender.*
5. **papel**: *personaje que representa una persona en una función.*

Como había leído algunos libros de caballería y sabía algo de esas cosas, le dijo con voz grave:

–Muy bien, mañana por la mañana le nombraré caballero. Esta noche la pasará velando sus armas, como mandan las leyes de la caballería. Por desgracia no podrá hacerlo en la capilla[1] porque la han derribado[2] para volver a construírla[3]. Pero yo sé que en caso de necesidad se puede hacer en cualquier sitio, y usted velará sus armas en el patio de mi castillo.

Al oír[4] aquellas palabras, el hidalgo se levantó satisfecho y agradecido, dispuesto a recoger sus armas y llevarlas donde le había indicado.

Entonces el posadero, que en el fondo estaba tomando cariño[5] a ese personaje tan fuera de lo normal[6], le preguntó si llevaba dinero y Don Quijote le contestó que no, que los libros de caballería no hablaban de esas cosas.

–Será –le respondió el posadero– porque a los autores no les ha parecido necesario escribir algo tan obvio. Pero créame si le digo que lo llevan bien guardado en sus bolsas. No sólo eso, los caballeros cargan a sus escuderos con camisas y ungüentos[7] para curar las heridas. Y si no tienen escuderos, que es algo muy raro, ellos mismos llevan todas estas cosas.

Don Quijote escuchó con mucha atención los consejos que le daba el posadero, y se dijo que debía encontrar cuanto antes lo que le faltaba para ser un verdadero caballero.

Nombrado caballero

Los dos hombres se despidieron hasta el día siguiente. El posadero entró en la posada y contó a todos la locura de su huésped. Dejó a su mujer encargada de

12. *Volver a con un infinitivo* significa repetir una acción, hacerla otra vez. Sustituye la parte en cursiva con esta perífrasis.

Dentro de poco *editarán de nuevo* el libro.

....

El profesor *ha explicado otra vez* este argumento.

....

He decidido que no *vengo más veces* a este sitio.

....

Tuve que deshacerlo todo y *empezar otra vez* desde el principio.

....

....

13. Completa las siguientes frases hipotéticas con un verbo en futuro.

Si tengo tiempo ....

....

Si salimos esta noche ....

....

Si me aumentan el sueldo ....

....

Si estudias más ....

....

---

1. **capilla**: *iglesia pequeña.*
2. **derribar**: *demoler, destruir.*
3. **volver a construirla** (perífrasis): *construírla de nuevo, otra vez.*
4. **al oír**: *cuando oyó.*
5. **tomar cariño**: *encariñarse, aficionarse.*
6. **fuera de lo normal**: *anómalo, raro, extraño.*
7. **ungüento**: *pomada, bálsamo.*

todo y se acostó[1] inmediatamente. Había decidido levantarse de madrugada para evitar ser visto mientras cumplía la promesa hecha. Pero sobre todo quería ver marchar cuanto antes a aquel personaje tan pintoresco.

Don Quijote cogió todas sus cosas y las apoyó en el pozo. Pasó la noche velando sus armas a la intemperie[2]. De vez en cuando[3] paseaba de arriba abajo hablando solo, otras veces miraba fijamente la lanza durante un buen rato[4], o invocaba a su señora Dulcinea.

El posadero se levantó cuando todavía no había amanecido. Cogió un libro y una vela y salió al patio. Don Quijote no lo esperaba tan temprano pero imaginó que él también estaba impaciente por nombrarle caballero. Y en realidad no se equivocaba, aunque el motivo era muy diferente.

El posadero le mandó arrodillarse e inclinar la cabeza. Abrió el libro, cogió su espada, y mientras la apoyaba primero en el hombro derecho luego en el izquierdo, leyó unas palabras incomprensibles pero que daban aire[5] de ceremonia a aquella farsa. Cuando consideró que podía ser bastante, apoyó la punta del arma en el suelo y dijo:

–Don Quijote, ya eres caballero.

El hidalgo se levantó, agradeció[6] al posadero el favor que le había concedido y se preparó para marchar.

Entre unas cosas y otras Don Quijote salió de la posada casi al alba, contento y satisfecho de haber sido nombrado caballero. Recordó los consejos que le había dado el posadero y decidió volver a su casa para aprovisionarse[7] de dinero y camisas y, si era posible, de escudero.

No había andado mucho cuando oyó como unos gritos. Dirigiéndose hacia el lugar de donde provenían las voces, se dijo:

14. Completa con un interrogativo.

a) ¿Por .... se acostó inmediatamente el posadero?

b) ¿ .... hizo Don Quijote durante aquella noche?

c) ¿ .... cosas cogió el posadero antes de salir al patio?

d) ¿ .... de los dos hombros tocó primero?

e) ¿ .... apoyó la punta del arma en el suelo?

f) ¿ .... nombró el posadero caballero a Don Quijote?

g) ¿ .... hizo Don Quijote cuando oyó los gritos?

15. Contesta a la preguntas anteriores.

a) ....

....

b) ....

....

c) ....

....

d) ....

e) ....

f) ....

....

g) ....

---

1. **acostarse** (irregular): *irse a la cama, irse a dormir.*
2. **a la intemperie**: *al aire libre.*
3. **de vez en cuando**: *a veces, algunas veces.*
4. **un buen rato**: *un momento largo, bastante tiempo.*
5. **dar aire de**: *dar aspecto de.*
6. **agradecer** (irregular): *dar las gracias.*
7. **aprovisionarse**: *proveerse, abastecerse.*

–Doy gracias al cielo por darme esta ocasión de poder cumplir con mi profesión. Las voces que oigo serán sin duda alguna de alguien que necesita mi ayuda.

Efectivamente cuando llegó al lugar, la escena que vio fue la siguiente: un labrador[1] azotaba a un muchacho atado a un árbol.

El hidalgo, al ver[2] lo que pasaba, y sin bajarse del caballo dijo al labrador:

–Es fácil atacar a quien no puede defenderse. Suba a su caballo y luche conmigo así le demostraré que lo que está haciendo es de cobardes.

El labrador, impresionado por la figura y las armas de Don Quijote le dijo:

–Señor caballero, este muchacho es mi criado[3]. Cuida un rebaño[4] de ovejas que me pertenece y cada día me falta una. Dice que soy un miserable porque no quiero pagarle el dinero que le debo y estoy castigando su distracción.

Don Quijote enfurecido ante tanta injusticia le mandó desatarlo, preguntó al criado cuánto le debía su amo[5], y obligó a éste a devolverle el dinero.

El labrador, muerto de miedo ante la amenaza que sentía, prometió pagarle. Pero había un problema: no tenía allí la cantidad debida, de modo que el criado tenía que acompañarle a su casa donde él guardaba el dinero.

Pero el criado sabía lo que podía pasar y se negaba a ir con él:

–No señor, yo no voy a su casa. Sé ya que si nos quedamos solos otra vez, volverá a pegarme como antes o más aún.

–No lo hará, me debe respeto –respondió Don Quijote–. Si me lo jura por la ley de caballerías que ha recibido, le dejaré ir libre y te asegurará la paga.

16. Di si las siguientes afirmaciones son verdaderas o falsas.

a) El labrador amenazaba con un cuchillo al criado. **V F**

b) El criado estaba atado a un árbol. **V F**

c) El criado se había comido una de las ovejas. **V F**

d) El criado decía que su señor no quería pagarle. **V F**

e) El criado no quería ir a casa del señor. **V F**

f) Don Quijote pagó de su bolsillo al criado. **V F**

g) Cuando Don Quijote se fue, el labrador pagó el dinero que le debía al criado. **V F**

17. *Al + infinitivo* introduce una frase temporal. Sustituye la forma en cursiva por *cuando + un tiempo correcto.*

a) *Al verlo* lo reconocí en seguida.

....

b) Se lo dieron *al llegar* a casa.

....

c) *Al terminar* la reunión hemos ido a tomar un aperitivo.

....

d) Nos levantamos *al amanecer.*

....

e) *Al saber* la noticia se puso muy contento.

....

f) Trabaja hasta muy tarde. Vuelve a casa casi *al anochecer.*

....

---

1. **labrador**: *campesino, persona que trabaja la tierra.*
2. **al ver**: *cuando vio.*
3. **criado**: *siervo.*
4. **rebaño**: *conjunto de ovejas dirigidas por un pastor.*
5. **amo**: *propietario, dueño, señor.*

–Señor, se equivoca –insistía el criado– que mi amo no es caballero y no cumplirá[1] su palabra.

Y entonces intervino el labrador y juró por la ley de caballerías pagar lo debido a su criado. Don Quijote consideró que el asunto estaba resuelto, se despidió de los hombres y emprendió el camino que lo llevaba de vuelta a casa.

El labrador lo siguió con los ojos hasta que caballo y caballero desaparecieron en el bosque. Se volvió hacia su criado lo cogió del brazo lo ató de nuevo al árbol, y entonces le dio tantos azotes[2] que lo dejó casi muerto.

Vuelta a casa

Y así iba el hidalgo montado en su caballo, con el corazón rebosante de alegría. Había realizado su primera hazaña. Había ayudado por primera vez a un débil.

Y mientras él regresaba a su hacienda lleno de júbilo[3], en su casa se desesperaban por su desaparición

Era ya de noche, y estaban reunidos el ama, la sobrina, el cura[4] y el barbero del pueblo. Hacía un día que[5] no sabían nada de él, pero lo que más les preocupaba era que faltaban la armadura y las armas, y todos temían lo peor.

El ama gritaba que la culpa era de los libros que él leía con tanto afán día y noche. La sobrina le daba la razón y les contaba cómo su tío a veces, después de haber leído durante dos días y dos noches enteras, cogía la espada y luchaba con las paredes. O como, cuando estaba muy cansado, decía que había matado a cuatro gigantes.

El cura propuso quemar toda aquella literatura que era la causa de su locura[6].

18. Escribe de nuevo los primeros párrafos de la "Vuelta a casa" en presente.

Y así va..

....

....

....

....

....

....

....

....

....

....

.... *y todos temen lo peor.*

19. Completa poniendo los verbos entre paréntesis en pretérito perfecto de indicativo.

Don Quijote considera que (resolver) .... el asunto y se (despedirse) .... de los dos hombres.

El labrador (volverse) .... a mirarlo, lo (coger) .... del brazo y lo (atar) .... a un árbol.

Todos (preocuparse) .... porque faltan las armas.

Don Quijote (decir) .... que estaba muy cansado porque había matado a cuatro gigantes.

El cura (proponer) .... quemar todos sus libros.

---

1. **cumplir**: *mantener.*
2. **azote**: *latigazo, golpe dado con la mano, el látigo.*
3. **júbilo**: *alegría.*
4. **cura**: *sacerdote.*
5. **hacía un día que**: *desde el día anterior.*
6. **locura**: *demencia.*

En aquel momento entró Don Quijote por la puerta. Todos se abalanzaron[1] hacia él y le hicieron mil preguntas. Pero el caballero estaba tan cansado de la aventura vivida y la noche pasada en vela[2], que se negó a contarles nada y se metió directamente en la cama.

Los demás[3] aprovecharon el sueño profundo de Don Quijote para dar fuego a sus libros. Encendieron una hoguera[4] en el patio de la casa y los quemaron todos, excepto algunos que se quedó el cura y otros que se quedó el barbero. Después tapiaron[5] la habitación y decidieron contarle que por la noche había llegado un encantador que había hecho desaparecer todo, y que ellos no habían podido hacer nada contra su magia.

Cuando Don Quijote se despertó de su largo sueño se dirigió a su lugar habitual de lectura pero no lo encontró. Preguntó al ama y a su sobrina y éstas le contaron la versión de los hechos que habían preparado la noche anterior.

Los encantamientos formaban parte de los libros de caballerías, así que no dudó de sus palabras. Pero ninguna magia podía impedirle seguir su camino. Y su camino era ser caballero y luchar por los más débiles.

Desde aquel día dedicó todas sus energías a convencer a su vecino Sancho Panza, un labrador bueno y honesto. Don Quijote necesitaba un escudero, como le había aconsejado el posadero, y Sancho era la persona más adecuada.

No fue fácil, Sancho era un hombre pacífico (también él era bastante gordo), y perezoso. Sus grandes preocupaciones en la vida eran comer y beber, y no había mostrado nunca ningún interés por las aventuras. Pero cuando oyó que le prometía parte de las ganancias de sus batallas, decidió aceptar.

20. Conjuga el verbo entre paréntesis en pretérito pluscuamperfecto de indicativo.

a) Todas las aventuras vividas *(cansar)* ....
mucho a Don Quijote.

b) La noche anterior, un encantador *(hacer)* ....
desaparecer todos los libros, y ellos no (poder) ....
.... hacer nada contra él.

c) El posadero *(decir)* .... a Don Quijote que
necesitaba un escudero.

d) Hasta aquel momento Sancho no *(mostrar)* ....
ningún interés por las aventuras.

21. Haz una pregunta para cada una de las siguientes respuestas.

a) ¿ ....?
No, algunos se los quedó el cura y otros el barbero.

b) ¿ ....?
Fue a la habitación donde solía leer.

c) ¿ ....?
Porque los encantamientos formaban parte de los libros de caballería.

d) ¿ ....?
Convencer a su vecino Sancho Panza.

e) ¿ ....?
Prometiéndole parte de las ganancias de sus batallas.

---

1. **abalanzarse**: *lanzarse.*
2. **en vela**: *sin dormir.*
3. **los demás**: *los otros, las otras personas.*
4. **hoguera**: *fuego encendido con leña.*
5. **tapiar**: *cerrar, cubrir algo con una pared.*

Los molinos de viento

Y así una noche, con el mulo[1] cargado con bolsas y la bota[2] de vino, y sin despedirse[3] de nadie –ni Don Quijote de su sobrina y del ama, ni Sancho de su mujer y de sus hijos– se encaminaron[4] en busca de aventuras. Para ser más exactos, Don Quijote partió con la idea de realizar grandes hazañas, y Sancho con la idea de sacar ganancias de las batallas de su señor.

Y de estos argumentos iban hablando por el campo Montiel. Don Quijote explicaba a Sancho que era costumbre muy habitual de los antiguos caballeros andantes, dar a sus escuderos un título de marqués, o incluso de conde, y que él no podía hacer menos sino mucho más.

En aquel momento descubrieron treinta o cuarenta molinos de viento que había en aquel campo, y Don Quijote, dirigiéndose a Sancho dijo:

–La fortuna guía nuestros pasos mejor que nosotros mismos. ¿Ves allí esos treinta o pocos más desalmados[5] gigantes? Voy a luchar contra ellos, a darles muerte a todos y con el botín vamos a empezar a enriquecernos.

–¿Qué gigantes? –preguntó Sancho asombrado ante las palabras de su señor, pues[6] él sólo veía molinos.

–Aquellos de brazos largos que se ven allí –respondió Don Quijote.

–Mire señor –dijo el escudero–, que aquellos que a usted le parecen gigantes son molinos y los brazos son las aspas que, movidas por el viento, los hacen funcionar.

–Eso te parece a ti que no sabes de estas cosas –respondió Don Quijote–. Son gigantes, no tienes que tener miedo, yo lucharé contra ellos.

No le dejó decir ni media palabra más. Arremetió

22. Transforma en estilo indirecto las siguientes frases.

Don Quijote dijo a Sancho:

a) "Es costumbre habitual dar a los escuderos un título de marqués". ....

....

b) "La fortuna guía nuestros pasos". ....

....

c) "Voy a luchar contra ellos". ....

....

Sancho dijo a Don Quijote:

d) "Aquellos que a usted le parecen gigantes son molinos". ..

....

e) "Los brazos son las aspas que los hacen funcionar". ....

....

23. Busca en el texto una palabra que corresponda a cada una de estas definiciones.

a) temas, asuntos. ....

b) beneficio, rendimiento. ....

c) temor, pavor, terror. ....

d) suerte, destino. ....

e) esposa, señora. ....

f) luchas, peleas. ....

---

1. **mulo**: *animal nacido de asno y yegua.*
2. **bota**: *recipiente hecho con cuero donde se mete el vino, del que se bebe directamente.*
3. **despedirse** (irregular): *decir adiós.*
4. **encaminarse**: *ponerse en camino, dirigirse.*
5. **desalmado**: *cruel, perverso.*
6. **pues**: *ya que, porque.*

contra los molinos ante la mirada incrédula de su escudero, que a voces le decía que no eran gigantes.

Pero Don Quijote siguió su carrera contra los enemigos que sólo sus ojos veían, y les gritaba:

–¡No huyáis cobardes, que vosotros sois treinta y yo sólo uno!

Justo en aquel momento[1] se levantó un fuerte viento y las aspas de todos los molinos comenzaron a moverse.

Don Quijote a lomos de su caballo[2] Rocinante se encomendó a su señora Dulcinea y embistió contra el primer molino que encontró en su camino, dándole una lanzada en el aspa. La lanza quedó atrapada y se rompió en mil pedazos, mientas la fuerza del viento izó tanto al caballero como al caballo, haciéndolos volar por los aires y caer rodando[3] por el campo.

Sancho, que hasta entonces había sido estupefacto espectador de lo sucedido, fue corriendo al lugar donde aterrizó su señor.

–¡Oh, Dios mío! –exclamó–. ¿No le dije que no podía combatir con ellos porque se trataba de molinos de viento?

No, no podía ser un error tan banal. La locura de Don Quijote le llevó a encontrar una explicación mucho más plausible de cuanto había ocurrido. Contó a Sancho cómo un mago había hecho desaparecer sus libros y su habitación. La deducción "lógica" era que el mismo mago, seguramente por envidia, había convertido[4] los gigantes en molinos para quitarle la gloria de la victoria.

Sancho no podía creer lo que escuchaban sus oídos, pero prefirió no insistir. Le ayudó a levantarse y a montar en su caballo, que a decir verdad, había quedado también bastante maltrecho[5]. Y cuando Sancho hubo montado en su mulo, emprendieron de nuevo la marcha.

24. Elige la forma que corresponde al texto.

a) Sancho le gritaba...
- que eran molinos;
- que no eran gigantes.

b) Don Quijote luchó con los molinos...
- a pie;
- montado a caballo.

c) La lanza...
- voló por los aires;
- quedó apresada.

d) El caballo...
- voló junto a su señor;
- escapó aterrorizado.

e) Don Quijote pensó...
- que era culpa del mago;
- que su escudero tenía razón.

25. Escribe en letras los siguientes números.

a) 16 - ....

b) 505 - ....

c) 73 - ....

d) 109 - ....

e) 15 - ....

f) 1.466 - ....

g) 28 - ....

---

1. **justo en aquel momento**: *en aquel preciso momento.*
2. **a lomos de su caballo**: *montado en la grupa de su caballo.*
3. **rodar**: *girar, dar vueltas.*
4. **convertir** (irregular): *transformar.*
5. **maltrecho**: *malparado, maltratado.*

Una nueva aventura

Don Quijote le estaba contando algunos episodios de caballeros, cuando aparecieron en el camino dos frailes de la orden de San Benito, montados en sus burros. Llevaban una especie de antifaz[1] con cristales para protegerse del sol y del polvo, y unos quitasoles[2]. Detrás de ellos iba un coche, cuatro o cinco hombres montados a caballo que lo acompañaban, y dos mozos[3] a pie. Como más tarde se supo, en el coche viajaba una señora vizcaína[4] que se dirigía a Sevilla donde se encontraba su marido. Cuando Don Quijote vio aquel grupo pensó que era una princesa que había sido raptada, y que era su obligación de buen caballero liberarla de las manos de aquellos malvados.

Sancho intentó convencerle de que eran frailes y de que el carruaje iba de paso[5]. Pero Don Quijote, como era costumbre en él, no le escuchó. Se adelantó con su caballo y poniéndose frente a ellos, les dijo:

–Vosotros, canallas, dejad libres a las princesas de ese coche o tendréis que luchar conmigo y recibir vuestro justo castigo.

Los frailes parados y asombrados por las palabras de Don Quijote, le explicaron que ni ellos eran raptores, ni conocían a los viajantes que iban en aquel coche. Don Quijote no atendió a razones[6] y se lanzó contra el primero, que se dejó caer antes de recibir un golpe con la lanza. Cuando el segundo religioso vio lo que había sucedido a su compañero, decidió escapar de allí tan deprisa como pudo. Sancho bajó de su mulo, se dirigió hacia el fraile que estaba en el suelo y empezó a quitarle sus hábitos. Los mozos que les acompañaban se acercaron y le preguntaron por qué hacía aquello. El les contestó que era el botín que había ganado su señor en la batalla, y que lícitamente le correspondía a él.

26. Define con tus palabras.

a) Molino de viento: ....

....

....

b) Mago: ....

....

....

c) Coche: ....

....

....

d) Costumbre: ....

....

....

27. Descubre a través de la definición los personajes.

a) La persona que está yendo a ver a su marido es ....

....

b) Las personas a las que Don Quijote acusa de raptores son

....

c) La persona que quiere quedarse con su parte del botín es

....

d) La persona que escapa de allí en cuanto puede es ....

....

e) Las personas que preguntan a Sancho por qué hace aquello son ....

---

1. **antifaz**: *especie de careta, como las de carnaval, que cubre la franja de los ojos.*
2. **quitasol**: *parasol, sombrilla.*
3. **mozo**: *muchacho, joven.*
4. **vizcaína**: *mujer nacida en la provincia de Vizcaya.*
5. **ir de paso**: *pasar por un sitio sin detenerse.*
6. **atender a razones**: *escuchar explicaciones.*

Entonces los mozos, que no entendían de batallas, le dieron tantos palos que lo dejaron tendido[1] en el suelo sin sentido.

El fraile aprovechó la confusión del momento para subir a su mulo y marcharse de allí sin esperar a ver cómo terminaba todo aquello.

Mientras tanto[2], nuestro caballero se había acercado al carruaje para comunicar a la señora que había sido liberada de sus raptores. Uno de los escuderos de la dama vizcaína al ver que Don Quijote no les dejaba proseguir, se adelantó con su mulo y lo amenazó.

Don Quijote permaneció tranquilo, no quería luchar con él porque no se trataba de un caballero. Pero tanto insistió el escudero, que allí mismo comenzó una dura pelea[3].

La señora y sus acompañantes intentaron poner paz entre ellos. Como no lo consiguieron, se apartaron de allí y se quedaron, impotentes, observando la escena.

Don Quijote recibió una cuchillada que le arrancó media oreja. Lleno de furia arremetió contra el escudero, que cayó de su mula. Entonces el caballero saltó de su caballo, le colocó la punta de la espada entre los ojos, y le obligó a rendirse.

El escudero estaba tan aturdido[4] que no pudo responder. Tuvo que intervenir la señora vizcaína, que suplicó clemencia para su mozo. Don Quijote se la concedió, pero a cambio el escudero tenía que cumplir una promesa. Tenía que ir a ver a su señora Dulcinea, contarle la hazaña que el caballero había realizado y ponerse a sus órdenes.

La dama[5], sin saber quién era la tal Dulcinea ni dónde se encontraba, le hizo la promesa de cumplir lo que le pedía.

Y así terminó esta aventura. Muchas más vivirá nuestro hidalgo, Don Quijote de La Mancha, a lo largo de[6] su camino por tierras españolas. Pero de ésas contaré en otra ocasión…

28. Los sufijos -ADA (-TADA) y -AZO (-TAZO) se utilizan para indicar "golpe dado con cierto instrumento". Forma las palabras derivadas como en el ejemplo.

-ADA

Cuchillo ➡ cuchillada

Guante ➡ ....

Lanza ➡ ....

Mano ➡ ....

Puñal ➡ ....

-AZO

Balón ➡ ....

Botella ➡ ....

Cabeza ➡ ....

Garrote ➡ ....

Guante ➡ ....

Hacha ➡ ....

Mano ➡ ....

Palo ➡ ....

Pelota ➡ ....

Silla ➡ ....

29. Da tu opinión sobre Don Quijote y cómo ve él la vida.

....

....

....

....

---

1. **tendido**: *tumbado, echado, extendido.*
2. **mientras tanto**: *durante ese tiempo.*
3. **pelea**: *disputa, lucha, litigio.*
4. **aturdido**: *atontado, desconcertado, confundido.*
5. **dama**: *señora.*
6. **a lo largo de**: *durante.*

• PRIMERAS LECTURAS •

Arciniega	EL MAGO PISTOLERO
Arciniega	TERREMOTO EN MÉJICO D.F.
Bermejo	DRÁCULA Y SUS AMIGOS
Busch	MAX Y MORITZ
Cerrada Dahl	TITANIC
Cervantes	LA GITANILLA
de la Helguera	LA MÁSCARA DE BELLEZA
Del Monte	CRISTÓBAL COLÓN
Del Monte	JUEGA CON LA GRAMÁTICA ESPAÑOLA
Del Monte	¿JUGAMOS CON LAS PALABRAS?
Díez	EL CARNAVAL DE RÍO DE JANEIRO
Díez	EL GATO GOLOSO
García	LA CUCARACHA
González-Amor S.	EL FANTASMA SIN NOMBRE
Hoffmann	PEDRO MELENAS
Maqueda	EL FANTASMA CATAPLASMA
Ruiz	ALEJANDRO MAGNO
Salamandra	PANCHO VILLA
Stoker	DRÁCULA

• LECTURAS SIMPLIFICADAS •

Anónimo	EL CID CAMPEADOR
Anónimo	EL LAZARILLO DE TORMES
Alarcón	EL SOMBRERO DE TRES PICOS
Arciniega	EVITA PERÓN
Arciniega	LOS SUPERVIVIENTES DE LOS ANDES
Bazága Alonso	EL MISTERIO DE MOCTEZUMA
Bazaga Alonso	EL MONSTRUO DE LAS GALÁPAGOS
Bazaga Alonso	HERNÁN CORTÉS
Carmos	LA NIÑA DE ORO
Cervantes	DON QUIJOTE DE LA MANCHA
Cervantes	RINCONETE Y CORTADILLO
Del Monte	¿JUGAMOS CON LAS PALABRAS?
Del Monte	JUEGA CON LA GRAMÁTICA ESPAÑOLA
Del Monte	PABLO PICASSO
Gómez	RAPA NUI. El misterio de la Isla de Pascua
Martín	GAUDÍ EN BARCELONA
Mendo	EL CASO DEL TORERO ASESINADITO
Mendo	DELITO EN CASABLANCA
Rivas	SIGUIENDO LOS PASOS DE CHE GUEVARA
Rubio	VIDA DE ANA FRANK
Shelley	FRANKENSTEIN
Toledano	EL TRIÁNGULO DE LAS BERMUDAS
Ullán Comes	DELITO EN ACAPULCO
Ullán Comes	EL ASEDIO DE GIBRALTAR
Ullán Comes	EL VAMPIRO

• LECTURAS SIN FRONTERAS •

Anónimo	EL ROMANCERO VIEJO
Arciniega	AMISTAD
Bazaga Alonso	LA ARMADA INVENCIBLE
Cervantes	DON QUIJOTE DE LA MANCHA
Del Monte	JUEGA CON LA GRAMÁTICA ESPAÑOLA
Gómez	LA ISLA ENCANTADA
Ibáñez	ENTRE NARANJOS
Ibáñez	LOS CUATRO JINETES DEL APOCALIPSIS
Manuel	EL CONDE LUCANOR
Miró	EL LIBRO DE SIGÜENZA
Tirso de Molina	EL BURLADOR DE SEVILLA
Ullán Comes	LA NOCHE DE HALLOWEEN
Valera	PEPITA JIMÉNEZ

• CLÁSICOS DE BOLSILLO •

Alarcón	EL SOMBRERO DE TRES PICOS
Anónimo	EL LAZARILLO DE TORMES
Asturias	LEYENDAS DE GUATEMALA
AA.VV.	CUENTOS HISPANOAMERICANOS
Bazán	LA GOTA DE SANGRE y otros cuentos policíacos
Bécquer	LEYENDAS
Calderón de la Barca	LA VIDA ES SUEÑO
Cervantes	NOVELAS EJEMPLARES
Clarín	CUENTOS
Donoso	EL LUGAR SIN LÍMITES
Galdós	TRAFALGAR
Laforet	RELATOS
Larra	EL CASARSE PRONTO Y MAL
Lope de Vega	NOVELAS A MARCIA LEONARDA
Moratín	EL SÍ DE LAS NIÑAS
Neruda	CIEN SONETOS DE AMOR
Quevedo	EL BUSCÓN
Rojas	LA CELESTINA
Valera	LA BUENA FAMA y otros cuentos
Zorrilla	DON JUAN TENORIO

• EASY READERS SELECTION •

Alcott	LITTLE WOMEN
Barrie	PETER PAN
Baum	THE WIZARD OF OZ
Bell	PLAY WITH THE INTERNET
Brontë	WUTHERING HEIGHTS
Carroll	ALICE IN WONDERLAND
Coverley	THE CHUNNEL
Defoe	ROBINSON CRUSOE
Demeter	ATTACK ON FORT KNOX
Dickens	A CHRISTMAS CAROL
Dickens	OLIVER TWIST
Dolman	KING ARTHUR
Dolman	ROBIN HOOD STORIES
Dolman	STOLEN GENERATIONS
Dolman	THE LOCH NESS MONSTER
Dolman	THE SINKING OF THE TITANIC
Dolman	THE STORY OF ANNE FRANK
Grahame	THE WIND IN THE WILLOWS
Haggard	KING SOLOMON'S MINES
Hetherington	THE BATTLE OF STALINGRAD
James	GHOST STORIES
Jerome	THREE MEN IN A BOAT
Kingsley	THE WATER BABIES
Kipling	JUNGLE BOOK STORIES
Leroux	THE PHANTOM OF THE OPERA
London	THE CALL OF THE WILD
London	WHITE FANG
Melville	MOBY DICK
Poe	BLACK TALES
Raspe	BARON MÜNCHHAUSEN
Scott	AMERICAN INDIAN TALES
Scott	FOLK TALES
Scott	IVANHOE
Shakespeare	ROMEO AND JULIET
Shakespeare	MIDSUMMER NIGHT'S DREAM
Shelley	FRANKENSTEIN
Spencer	THE GIRL FROM BEVERLY HILLS
Stevenson	DR JEKILL AND MR HYDE
Stevenson	TREASURE ISLAND
Stoker	DRACULA
Stowe	UNCLE TOM'S CABIN
Swift	GULLIVER'S TRAVELS
Twain	TOM SAWYER
Twain	HUCKLEBERRY FINN
Twain	THE PRINCE AND THE PAUPER
Wallace	KING KONG
Whelan	A STATUE OF LIBERTY
Whelan	DRACULA'S WIFE
Wrenn	PEARL HARBOR
Wright	DRACULA'S TEETH
Wright	ESCAPE FROM SING-SING
Wright	THE ALIEN
Wright	THE BERMUDA TRIANGLE
Wright	THE MUMMY
Wright	THE MURDERER
Wright	THE NINJA WARRIORS
Wright	THE WOLF
Wright	YETI THE ABOMINABLE SNOWMAN

• INTERMEDIATE READERS •

Austen	EMMA
Austen	PRIDE AND PREJUDICE
Bell (NO CD)	PLAY with English GRAMMAR
Bell (NO CD)	PLAY with English WORDS
Bell (NO CD)	PLAY with...VOCABULARY

PLAY AND LEARN... ARIES • TAURUS • GEMINI • CANCER • LEO • VIRGO • LIBRA • SCORPIO • SAGITTARIUS • CAPRICORN • AQUARIUS • PISCES

	BEOWULF
Brontë	JANE EYRE
Bunyan	THE PILGRIM'S PROGRESS
Chaucer	THE CANTERBURY TALES
Collins	THE WOMAN IN WHITE
Coverley	MY GRANDDAD JACK THE RIPPER
Defoe	MOLL FLANDERS
Fielding	JOSEPH ANDREWS
Fielding	TOM JONES
Hardy	FAR FROM THE MADDING CROWD
Hawthorne	THE SCARLET LETTER
James	THE PORTRAIT OF A LADY
James	WASHINGTON SQUARE
Lawrence	LADY CHATTERLEY'S LOVER
Lawrence	WOMEN IN LOVE
Leroux	THE PHANTOM OF THE OPERA
Richardson	PAMELA
Roberts	JOURNEY TO SAMARKAND
Roberts (NO CD)	THE HISTORY OF ENGLAND
Thackeray	VANITY FAIR
Schreiner	STORY OF AN AFRICAN FARM
Shakespeare	ANTONY AND CLEOPATRA
Shakespeare	AS YOU LIKE IT
Shakespeare	HAMLET
Shakespeare	HENRY V
Shakespeare	KING LEAR
Shakespeare	MACBETH
Shakespeare	MUCH ADO ABOUT NOTHING
Shakespeare	OTHELLO
Shakespeare	ROMEO AND JULIET
Shakespeare	THE COMEDY OF ERRORS
Shakespeare	THE MERRY WIVES of WINDSOR
Shelley	FRANKENSTEIN
Stevenson	KIDNAPPED
Stoker	DRACULA
Wallace	THE FOUR JUST MEN
Wright	AMISTAD
Wright	BEN HUR
Wright	HALLOWEEN
Wright	RAPA NUI
Wright	THE BERMUDA TRIANGLE
Wright	THE MONSTER OF LONDON
Wright	WITNESS

IMPRIME TECHNO MEDIA REFERENCE • ITALIA